▼ Les Histoires du Père Castor ▼

Qu'elles soient nées dans l'esprit fécond d'un auteur ou venues du fond des âges et de pays lointains, les histoires transmettent une culture, une tradition, elles parlent de nous. Comprendre, accepter les autres, mieux se connaître, se laisser porter par la magie des mots et des images : c'est tout cela que les Histoires du Père Castor offrent.

Depuis 1931, le Père Castor propose de merveilleuses histoires illustrées, et crée les classiques de la littérature pour enfants, d'hier et d'aujourd'hui. Nous perpétuons cette tradition avec les talents d'auteurs de mots et d'images pour le plaisir toujours renouvelé du partage de la lecture...

LES TROIS GRAINS DE RIZ

À Petite Sœur Lotus,
précieuse Princesse du dragon.
A. B.

Pour toi petite Luna,
qui m'a largement inspirée…
Pour Catherine, forte de courage
et de générosité, une maman,
tout simplement.
V. S.

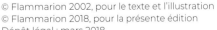

© Flammarion 2002, pour le texte et l'illustration
© Flammarion 2018, pour la présente édition
Dépôt légal : mars 2018
ISBN : 978-2-0814-2735-8
Imprimé en République Tchèque par PB Tisk – mars 2019
Éditions Flammarion (L.01EJDN001499.A003) – 87, quai Panhard-et-Levassor, 75647 Paris Cedex 13
Loi n° 49-956 du 16 juillet 1949 sur les publications destinées à la jeunesse

LES TROIS GRAINS DE RIZ

Agnès Bertron-Martin
Virginie Sanchez

PÈRE CASTOR

Ce matin, Petite Sœur Li a mis sur son dos un sac de toile brune.
Dans ce sac, se tiennent bien serrés tous les grains de riz que ses parents
ont récoltés précieusement dans la plaine à côté du grand fleuve.

Et Petite Sœur Li est partie en courant, pour vendre ce riz au marché.

Petite Sœur Li court, court…
Mais soudain, un canard sauvage
se pose devant elle.
– Petite Sœur Li, Petite Sœur Li,
donne-moi du riz !
Moi, avec le riz,
j'efface les ennuis !

Petite Sœur Li ne doit pas gaspiller
ce riz, elle doit le vendre
car ses parents ont besoin d'argent.
Mais elle trouve extraordinaire
qu'un canard soit capable de tant de bonté !
Alors elle ouvre doucement le sac de toile brune,
et c'est avec plaisir qu'elle offre
une petite poignée de riz à un canard si gentil.

Et le canard s'envole en lui disant merci.

À l'entrée de la forêt de bambous, Petite Sœur Li court toujours
quand, soudain, un panda se présente devant elle.
– Petite Sœur Li, Petite Sœur Li, donne-moi du riz !
Moi, avec le riz, je combats les méchants.

Petite Sœur Li trouve formidable
qu'un panda soit capable de tant de courage !
Alors elle ouvre une nouvelle fois le sac de toile,
et c'est avec joie qu'elle offre une petite poignée de riz
à un panda si courageux.

Et le panda se sauve en lui disant merci.

Petite Sœur Li court au milieu des bambous,
quand un singe l'interpelle :
– Petite Sœur Li, Petite Sœur Li, donne-moi du riz !
Moi, avec le riz, je fabrique des trésors.

Petite Sœur Li trouve incroyable
qu'un singe soit si doué !
Alors elle ouvre une nouvelle fois le sac de toile,
et c'est avec admiration qu'elle offre
une petite poignée de riz
à un singe aussi adroit.

Et le singe se sauve en lui disant merci.

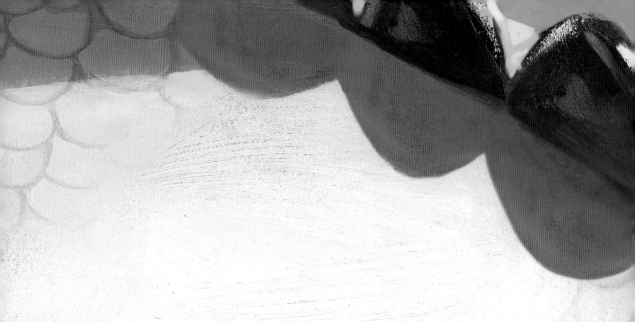

Mais quand Petite Sœur Li traverse le pont,
le dragon du fleuve bondit en rugissant :
– Petite Sœur Li, Petite Sœur Li, donne-moi du riz ou je t'avale !

Petite Sœur Li a tellement peur du dragon qu'elle lui jette
une énorme poignée de riz pour qu'il la laisse tranquille.
Mais le dragon ne dit pas merci.
Vraiment pas du tout.
Au contraire, il se fâche de plus belle, et il rugit :
– Petite Sœur Li, tu te moques de moi !
Une poignée ne suffit pas, je veux tout ton riz ! Donne-le moi !
– Ah non, répond Petite Sœur Li, tu exagères !
Ce riz, je dois le vendre au marché.

Et Petite Sœur Li court de l'autre côté du pont.
Le dragon est furieux.
Il se dresse pour cracher sa colère
contre Petite Sœur Li.
Il lance des serpents de flammes
qui transforment le ciel en brasier.
Il avale l'eau du fleuve et la recrache
pour noyer Petite Sœur Li.

L'eau du fleuve monte aux pieds de Petite Sœur Li,
à ses mollets, à sa taille.

Petite Sœur Li est secouée par le courant.
Elle essaie de nager,
elle lutte pour ne pas se noyer.
Mais, hélas ! son sac se déchire
et les grains de riz sont emportés
par l'eau en furie.

Petite Sœur Li s'agrippe
à une branche de bambou.
Petite Sœur Li a froid,
Petite Sœur Li a peur,
Petite Sœur Li a tout perdu.
Enfin… c'est ce qu'elle croit.

Mais le canard sauvage passe au-dessus d'elle.
– Petite Sœur Li, Petite Sœur Li, pour toi j'ai gardé un grain de riz.

Et il le crache dans l'eau en chantant :
Petit grain de riz, efface les ennuis de Petite Sœur Li !

Au contact de l'eau, le grain de riz grossit.
Il se transforme en un bateau de nacre.
Vite, Petite Sœur Li monte dedans.
Hélas ! Petite Sœur Li ne sait pas naviguer,
elle va droit vers le dragon
qui la regarde arriver,
prêt à la croquer.

Petite Sœur Li a froid,
Petite Sœur Li a peur,
Petite Sœur Li va mourir.
Enfin… c'est ce qu'elle croit.

Mais le panda surgit à travers des branches de bambous.
– Petite Sœur Li, Petite Sœur Li, pour toi j'ai gardé un grain de riz.

Vite, il le lance dans la gueule du dragon en chantant :
Petit grain de riz, sauve Petite Sœur Li du méchant dragon !

Aussitôt, le grain de riz devient long et piquant.
Il se transforme en une immense épine, qui fonce
comme une flèche et vient se planter
dans la gorge du monstre.

Et voilà le dragon qui bâille et s'endort.
Il se couche au fond du fleuve,
et toute l'eau le suit et rentre dans son lit.

Petite Sœur Li accroche le bateau au ponton,
et elle court chez elle pour voir si ses parents
n'ont pas été emportés par l'eau du fleuve.
Quand elle les aperçoit, bien vivants
sur le seuil de leur maison,
le cœur de Petite Sœur Li se soulève de joie.

Hélas ! Petite Sœur Li n'a ni riz ni argent !
Elle a peur de se faire gronder
car elle revient les mains vides.
Elle a tout perdu !
Enfin… c'est ce qu'elle croit.

Mais le singe saute autour d'elle.
– Petite Sœur Li, Petite Sœur Li, moi aussi,
pour toi j'ai gardé un grain de riz.

Et il le tend à Petite Sœur Li, en chantant :
Petit grain de riz, transforme-toi en trésor pour Petite Sœur Li !

À peine le grain de riz est-il dans les mains de Petite Sœur Li,
qu'il devient d'un bleu profond et se met à briller.
Il se transforme en un énorme saphir.

Alors Petite Sœur Li court offrir cette pierre précieuse
à ses parents et se jeter dans leurs bras.
Quelle joie pour les parents de Petite Sœur Li
de retrouver leur fille !

Mais, aujourd'hui encore, ils n'ont pas vraiment compris
comment Petite Sœur Li a pu leur rapporter un tel trésor
à la place d'un seul sac de riz, ni comment un canard sauvage,
un panda et un singe sont devenus, ce jour-là,
ses amis pour la vie !

▼ Dans la même collection ▼

n° 121 | L'arbre qui fit
de Leïla une princesse

n° 122 | La Sieste
des mamans

n° 123 | Pira le rat
pirate

n° 124 | Le Plus Féroce
des Loups

n° 125 | Ma maîtresse
est une ogresse!

n° 127 | Nasreddine
et son âne

n° 128 | Pénélope
la poule de Pâques

n° 129 | Maxime
Loupiot

n° 130 | Un, deux, trois,
sorcière!

▼ Dans la même collection ▼

n° 11 | La Plus Mignonne
des Petites Souris

n° 14 | Le Petit Bonhomme
de pain d'épice

n° 19 | La Grande Panthère
noire

n° 32 | Tom Pouce

n° 48 | Un bon tour de Renart

n° 51 | Hansel et Gretel

n° 54 | La Chèvre
de Monsieur Seguin

n° 58 | L'Ours et les trolls
de la montagne

n° 61 | Le petit loup
qui se prenait pour un grand